허락된 시간

신경자 디카시집

도서출판 흐름

(시인의 말)

봄이 한 번 시작되면 겨울로 다시 되돌아갈 수 없듯이

디카시 세계에 들어서면 세상이 온통 디카시 소재로
다가오는 매력에 빠지게 됩니다.

그렇게 디카시는 저에게 반려 문학이 되었습니다.

비가 오나 눈이 오나 사계절을 날씨 장소 가리지 않고
발품으로 한 장 한 장 살아 숨 쉬는 자연을
더 많이 담아내려고 노력했습니다.

공해와 삶에 지쳐 만가는 현대인들에게
필요한 것은 신선한 자연

저에 디카시 하나가 누군가에게
맑은 산소 한 모금이 되어 줄 수만 있다면

그것만으로도 보람은 충분합니다.

저자 신경자

목차

1부

2부

3부

4부

1 부 메시지

위대한 사랑

툭 떨어져 있어도
관심 빗나간 적 없지

수십억 년 하루 두 번
대지에 젖 물리는

하늘은

흔적

거침없이 방향도 없이
위로만 오르던 시절

몸 휘어진 후에 서야
보이기 시작하는

걸어온 길들

꼬마병정

엄마 품 떠나는
아기 고슴도치 행렬

큰 소리 치며
출발 하지만

걸음은 제 자리 걸음

메시지

여기인가 저기인가

가신 임 모신 자리

찾지 말고 울지도 말고

활짝 웃으며 살라고

얼레지 꽃만 가득 피워 놓았네

광합성하세요

창문 없는 공간에서
시계 숫자에 잡혀있는
직장인에게

다소곳이 내어드리는
비타민 D 한잔

풍류도

비바람 몇 번 붓 칠 하였나

김유신 두견주 잠 들고

달리던 말 봄 버들 취한 밤

도연명 오기 전에

문패 먼저 달아야 겠네

다문화 가정

겉모습 다르면 어떤가요

뿌리 다르면 어떤가요

부대끼며 살다 보면

우리는 한 가족

간절한 기도

멈춰버린 심장 식을세라

사흘 밤 낮 품고 만 있구나

너에 이별도

살 태우는 통곡인 것을

너는 나

뿌리 잎으로
햇님 만나고

잎 뿌리 힘으로
흙 만나네

어느 것 하나 혼자가 없네

공물

알 곁을 떠나지 않더니

새에게 공손히 바치는

한 몸

너도 어미라서

짝사랑

관심 없는 척 지나칠 때마다
까맣게 타버린 속

시원한 고백은 기회를 건 도박
다행이다

내일도 볼 수 있어서

연명치료

몸 안

가득 채우고 있는

많은 약물들

주인은 누구인지

상처

찢겨진 날개로 날아든

너

그저 고목이 되어 줄 뿐

아무 말도 묻지 않았지

너도 아프구나

층층 쌓은 나이

어둠 전신 가려도

파레트 색 치장하여도

여기저기 건강 신호

불 켜지네

그림사냥

발자국 소리도
숨소리도 멈춤

탄피 없는 셔터 소리만
날아서 잡는 순간들

2부 별

오랜 기다림

보고 싶어 왔다가

없으면 슬퍼할까 봐

발 동동 기다리다

시퍼렇게 멍들었네

도산서원

사랑하여도

다가갈 수 없는 곳

땅 물 올리고 하늘 기운 내려

푸릇한 열매로 찾아든
두향의 발걸음

혼수

키 작은 꽃

큰 나뭇잎 그늘 가리울까

서둘러 올리는 결혼

가진 것 없어

햇살 혼수만 한 가득

마법 슈즈

춤을 추지 못하여도

누구나 한번 신어 보면

춤추는 발레리나

맨발 걷기

풀잎 매달려 살다보니
몸은 참개구리

신발 벗고 걸어요
청개구리 모습 찾으러

허락된 시간

함께 나눌 시간이
대롱대롱

고운 봄날
한 번 더
웃어 줄 것을

헌화

망우리 유관순 묘소

감동한 하늘
매일 아침
잊지 않고 올리는

태양 꽃 한 송이

창경궁 논쟁

영조와 사도세자
점점 더 커져만 가는
입

아직도 끝나지 않은
별들의 전쟁

숨! 쉬다

눈 감으면
자작자작 자장노래

들숨 날숨
몸속은
초록 숲

별*

하룻밤이지만

스테파네트 아가씨
어깨 기대어 준 것만으로

목동 품속은
반짝반짝 빛나는 은하수

*알퐁스 도테의 단편 '별'차용

리마인드 웨딩

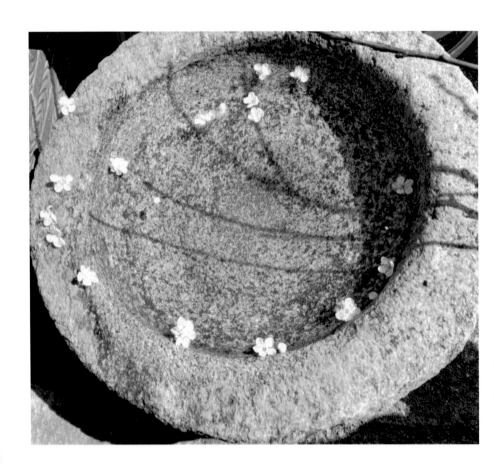

그림자와 낙화가 만나
피어나는 웃음꽃

떠나는 인연 손 내밀어
다시 한 번 행복하라고

식탐

떠날 줄 모르는
맛 집 골목

알 품은 것도 아닌데
한 입만 더

쓰나미

앞산 흰 눈

삼켜 버릴 듯 밀려오는

지구의 엄중한

경고

D M Z

보이지나 말지

가까웁지나 말지

사람이 그어 놓은 선

산이 먼저 다가서는

한 걸음

청혼

어여쁜 화관

하나하나 꽃피워

머리에 씌워 줄 사람이

나 였으면

3부 대학로 소극장

개인정보

하룻밤 사이에

모두 드러나는

신상노출

밑거름

이끼 몸 낮추어 살아가지만

자식만큼은 높이 더 높이

내보일 것 없는 이 몸 하나

기댈 수 있는 언덕

되어 줄 수만 있다면

사랑 병

술잔 주고받던 이태백

달 찾아 떠난 지 오래

그리움 놓지 못한 달님

매일 밤 님 찾아 몸 하나

물속에 던지네

그럼에도 피는 꽃

스페인 야경은 밤마다
화려한 장미 피어나고

페루 저녁에도
밤마다 피어나네

들꽃 한 묶음으로

대학로 소극장

알록달록 터지는 개성들
굵은 뿌리 딛고 일어나

쉼 없이
불 밝히는 무대

메타버스

카론이 허락한 만남

갑작스런 이별
못다 한 그 한마디

당신을 사랑합니다

새 옷

바쁘게 살다보니
배냇저고리만
입고 살았네

생각을 바꾸면
달라지는 외모

첫 나들이

천천히

풀잎 자라나는 소리 들으며

엄마 발자국만 따라서

...) 말하기를,
...여하여 그 변
...게 하고(大雅
...단계] 이것이

...需以體之하여
...均天下之道

1. 國風

國者는 諸侯所封之域이오 而風者는 民俗歌
被上之化以有言이 ...... 足以感人이
其聲又足以動物也라 ...... 로 諸侯 采之
而列於樂官하니 於以考其俗尙之美惡하고
二南爲正風하니 所以用之閭門鄕黨邦國
則 ...... 頌在樂官하여 以時存肆하여 備觀省而

국은 제후를 봉한 바의 경계이고, 풍은 ...
위의 덕화를 입었기 때문에 둔 말이고, 이...
때문이니, 마치 물건이 바람의 움직임으...

이천 오백년을 깨우러

활자 속으로 들어간 풀꽃은

대지의 속살 함께 노닐더니

시 한 편 되었네

산호혼식 (珊 瑚 婚 式)

내리는 눈 꽃 송이들을

꿀꺽꿀꺽 삼켜버리는

저 험한 강을

함께 건너온

우리

K- POP 스타

화려한 공연 무대 뒤에는

동작마다 아려오는

시린 연습이

호언장담

눈 비바람에도
꿈쩍없다 말 하지만

소리 없이 번져드는
검버섯

가장의 임무

해결해 드립니다

가족에게 일어나는

모든 일이라면

서민의 눈물

집 나가면 고생이라 하지만

밀려 쫓기듯 나가야 하는

깡통전세

만기일

4부 노모의 집념

시선 바꾸기

물결 멈추기 기다리기보다

내가 바뀌면

보이는 신세계

대혁신

임산부석에

남자들이 앉는 날

스티브 잡스는

상상이나 했을 런지

기후위기

난방은 태양 에너지

주거는 마른 풀

떠난 후

자연으로 보낼 것만 남기고

디카시에 빠지면

잠시도 생각 줍는 일에서
자유로울 수 없는 일상

스스로 갇혀버린
아름다운 구속

종이 되어

꽃 멀리 떠나보내고

울며 부르는

사랑노래

길상사에서

첫 눈 내리기 전에

백석이 자야에게 보내 준

당나귀 한 마리

반성

어제도

오늘도

다짐 하였건만

침묵 할 기회를 또 놓쳐서

모두다 꽃이야

어둠속에 핀 꽃도
열매 끝에 시든 꽃도

눈동자 속에 담겨진
눈물 꽃 까지도

차 한 잔 할까요?

나뭇가지 사이사이

뾰족한 입술들이

봄노래 하는

날에

베짱이 조건

시선은 무신경
장소는 무조건

나이는 들어도
철은 들지 않기

비움

마음 비우며 살라고

구멍 난 조개껍질

풍경소리 흐르네

인지기능장애

묵묵히 살아온
엄마의 삶

기억 사라져가도
바위 깊게 새겨놓은
마음 읽습니다

강적

조심으로 무장한 할머니
조심이 뭔지 모르는 손주

입 점점 커져가는 할머니
듣는 귀 전혀 없는 손주

그래도 이쁘네

노모의 집념

구십일세 노모의 성서 필사

두 줄 쓴 것 있어도 빠진 줄 없는

오늘도 전화 목소리

고기 사오지 말고

연필 지우개 사오너라

허락된 시간

발행일 - 2024년 4월 22일

저자 - 신경자
e mail - barr0306@naver.com
기획 - 신경자
편집 - 이재철

발 행 처 - 도서출판 흐름
등록번호 - 제399-2023-000027
등록일자 - 2023년 3월 22일
주 소 - 경기도 남양주시 화도읍 비룡로 186
전 화 - 010-5257-1254
이 메 일 - ejc1057@naver.com

I S B N : 979-11-982864-3-7
가 격 13000원

허락된 시간 2024년